# 괜찮아, 우리가 곁에 있잖아

## 괜찮아 우리가 곁에 있잖아

**발　행** | 2024년 01월 18일
**저　자** | 장 우 영
**펴낸이** | 한건희
**펴낸곳** | 주식회사 부크크
**출판사등록** | 2014.07.15.(제2014-16호)
**주　소** | 서울특별시 금천구 가산디지털1로 119 SK트윈타워 A동 305호
**전　화** | 1670-8316
**이메일** | info@bookk.co.kr

ISBN | 979-11-410-6737-3

www.bookk.co.kr

# 괜찮아,

# 우리가 곁에 있잖아

장 우 영 지음

# CONTENT

# 우리들의 만남 그리고 여행의 시작.

우리의 여행은 우연이었을까? 필연이었을까?

우리는 누구일까? 나와 골든리버리버 '칸'과 비글 '수지'다.

우리의 직업은 무엇일까? 내가 키우는 강아지들에게도 직업이 있다. 나는 동물매개심리사, 칸과 수지는 치료견으로 활동하고 있다. 칸이는 2012년 8월 23일생 수컷으로 2013년 10월쯤 나를 만나 함께 살게 되었다.

동물매개치료사가 되기 위해 서른이 넘은 나이에 사회복지 공부를 시작하고 동물매개치료에 대해 배우고 내가 배운 곳에서 (한국동물매개치료복지협회) 3개월간 숙식을 하며 실습을 할 때 여러마리 개들이 사는 견사에서 가장 눈길이 가는 아이가 칸이었다. 물 주기만을, 화장실 보내 주기만을, 밥 주기만을 기다리면서도 다른 강아지처럼 짖지도 보채지도 않으며 꼬리를 흔들며 나를 따르던 아이, 그 때의 이름은 '이든'이라는 이름이었다. 며칠후부터 이든이는 견사에서 나와 숙소 한 쪽 켠에 자리를 마련해 나와 같이 살면서 나는 치료사가 되기 위해 이든이는 치료견이 되기 위해 공부도 하고 훈련도 하면서 차근 차근 준비를 했다. 그 때 '이든'이란 이름을 좀 더 강하고 카리스마있는 강아지가 되라고 지금의 '칸'으로 바꿔 주었다. (이름 따라 행동한 적은 없음) 지금도 기분좋게 "칸아" 또는 "이든아"하고 부르면 꼬리를 흔들며 달려와 얼굴을 들이민다.

수지의 출생년도는 분명하지 않다. 소개받은 동물병원에서 유기되어 임시 보호하고 있다고 한 가정집에서 수지를 만났다. 이름만으로 만나러 가는 길에 가녀리고 눈망울이 선한 강아지를 상상했었다. 용인의 한 아파트에서 임시 보호하고 있던 다른 여러 마리의 강아지들과 함께 수지가 걸어 왔다. 첫느낌 '비글이 많이 크구나' 다른 비글처럼 짖지도 천방지축 뛰지도 않았다. 간혹 덩치 큰 남자를 보면 짖기는 하지만.

수지란 이름은 주인을 잃고 발견된 장소가 용인에 있는 '수지'란 곳에서 발견이 되어 그렇게 지었단다. 산책을 하며 큰 소리로 "수지야"하고 부를 때면 주변 사람들의 시선이 의식되어 이름을 여러번 바꿔 보려 여러 이름들을 후보로 올려 놓기도 했었으나 결정을 미루던 사이 수지라고 불러 주다 보니 지금까지도 수지로 부르고 있다. 데려올 당시 5살 정도로 보였으니 쉽게 바꿀 수 있겠나라는 생각이 컸던 것 같다. 수지를 임시 보호하고 있던 집에서는 꽤나 많은 강아지들을 임시 보호하고 있었는데 그 중에 덩치가 제일 컸다. 항상 소형견들과 지내다 보니 소형견처럼 행동을 했다고 했고 한번도 대형견을 만나본 적이 없다고 임시 보호하시던 분이 말씀하셨었다. 처음 만났던 날 칸이는 좋아서 냄새를 맡으며 수지를 따라 다녔고 적극적인 칸이 부담스러웠던지 이리 저리 도망 다니기 바빴던 기억이 난다. 지금은 매우 친하다. 내가 보기엔 그 둘의 행동이 그래 보인다.

서로의 행동은 매우 다르다. 칸이는 적극적으로 몸을 낮춰 장난을 걸어 보지만 수지는 소극적으로 피해 버리고 칸이가 큰 덩치로 꼬리를 흔들면 수지는 뒤에 앉아 무심한 듯 얼굴로 칸이의 꼬리를 맞고 있고 칸이가 딱딱한 개껌을 좋아해 껌을 신나게 씹다 바닥에 놓쳐 버리면 수지는 그걸 물어 부드러워진 껌을 씹고, 추운 겨울엔 서로 꼭 붙어 추위를 이겨낸다. 가끔 수지의 코고는 소리에 칸이 깨기는 하지만.

이렇게 서로 많이 다르지만 그것들을 이해하고 부족한 부분을 서로 채워가며 칸과 수지와 같이 산지가 2년이 다 되어 간다. 이 기간동안 수지가 종종 칸의 간식을 뺏어 먹은 적은 있지만 서로 싸우거나 으르렁거린 적은 단 한번도 없다. 나에게 와서 수 많은 곳을 돌아다니며 여러 사람들과 강아지들을 만나며 지금의 여행을 떠나기 전까지 칸이는 이사를 4번 수지는 3번의 이사를 했다. 이렇게 사연 많은 나와 강아지들의 여행은 시작되었다.

# 1. 여름 스케치

떠나는 이유는 많았다.

무언가 새로운 삶을 찾고 싶어서

현재 나의 삶에서 벗어나고 싶어서

너무 힘들어 지친 마음을 달래고 싶어서


떠나는데에는 딱 하나만 필요했다.

그건 바로 떠날 수 있는 '용기'

여행 첫날 택한 장소는 바다

너희들과 처음으로 온 바다

내 맘속에 겹겹이 쌓여 있는 것들이

그냥 바람에 흩날려간 기분

남은 것은 지금 여기뿐

바다 냄새가 마냥 좋고
바람 냄새가 마냥 좋고
땅냄새가 마냥 좋다.
그런 너희들을 보는 나도 너희들이 마냥 좋다.

여행후 얼마 지나지 않아 시작된 장마
비내리는 텐트 위 생명체가 반갑다.
그렇게 텐트 안에서 빗소리를 들으며 개구리를 바라본다.

하나 하나 궁금해지는 분주한 발걸음이다.

넌 어디서 왔는지? 아침부터 어디를 그리 급히 가는건지?

밥은 어떻게 구해 먹는지? 주변에 친구들은 있는지?

잠은 어디서 자는지? 주로 무엇을 하며 하루를 보내는지?

밤새 내린 비가 두고 간 선물이다.

누군가의 꿈을 담아 쌓아올린 돌담
힘찬 물살에도 쓰러지지 않는다.
돌담이 쓰러져 사라진다한들
꿈도 함께 사라지진 않을 것이다.

길가에 핀 **들꽃**

처지가 비슷하면 마음이 가고 눈에 들어오나보다.

아무런 규칙도 없다.

꾸미지 않았을 때, 있는 그대로가 더 아름다울 때가 있다.

사실 그럴 때가 더 많다. 그걸 놓치고 산다.

나는 **갈대**에게서 또 하나 배운다.

좋아할 줄 알았지.

수영은 처음이라 많이 무서웠구나.

나와 칸이랑 가족이 된지 한달만에 수지는 전국일주를
떠났고 수영장이란 곳엘 처음 와 봤다.

그 전 수지의 삶이 궁금해졌다. 어떤 삶을 살았을까..

각양각색의 취향

공놀이에 진심인 개

물놀이가 좋은 개

다른 친구가 반가운 개

물놀이가 싫은 개 그게 바로 우리 개

평소 차를 즐겨 마시지도 않았지만 여행를 가기 전
하고 싶은 것이 있었다. 비가 오면 꼭 물을 끓여 차를 마시는 것.
차를 마시며 낭만을 즐기고 싶었나보다.
비를 맞으며 물을 버너에 끓여야 되고 여러 가지로 꽤나
번거로운 일이었지만 과정 하나 하나 즐거운 일이었다.
차안에서 비를 피하고 빗소리를 들으며 차를 마시는 시간.
이제 다시 한번 비가 오면 차를 끓여 마셔보자.

불과 한시간전까지만 해도 여행 온 몇 사람들이 있었는데
밤이 되니 나만 혼자 남아 오늘밤 잠을 청할 곳을 찾고 있네
여행이 끝나 돌아갈 곳이 있는 사람들은 좋겠다.
나도 저들처럼 여행이 끝나 돌아갈 곳이 있었으면 좋겠다.

바닷물이 점점 차올라 텐트를 두 번 옮겼다.
그래도 옮길 수 있는 장소가 있어서 감사하고
더 이상 이 쪽까진 물이 올라오지 않아 오늘밤도 무사히
하룻밤을 보낼 수 있을 것 같아 감사했다.
여행을 떠나고 나서 얼마 지나지 않아
큰 게 아닌 매 순간이 감사할 때가 찾아오기 시작했다.

꽃과 벌은 어울린다.

여행을 하며 어울리는 것들을 찾아 다니는 것들은 즐거운 일이다.

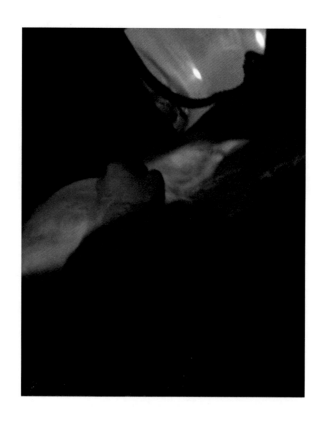

하루의 고단했던 일정을 마치고 어김없이 밤이 찾아온다.
칸이와 수지의 거친 숨소리도 조용해졌다.
한여름밤 에어컨도 없고 선풍기도 없는 이 시간을
시원한 바람 한 줌 불어오기를 기다리며 견딜 뿐.

태어날 땐 작고 부드러운 살결이었을텐데
얼마나 수많은 세월 비와 바람을 견뎌야 이처럼
듬직한 소나무가 될까?

하늘에서 비가 내리면 나같은 생존 여행자는 할 수 있는 게
많지가 않다. 적당한 곳에 텐트를 치고 강아지들과 그 안에
들어가 비가 그치기만을 마냥 기다리며 책을 읽는다.
그래서 비가 오면 저절로 생각이 든다.


'빗소리 들으며 책 읽을 시간이 찾아왔구나'

"안 녕"

안개 낀 하늘
이 안개가 걷히면 어떤 일이 찾아올까?
내 인생의 안개가 걷히면 어떤 일들이
찾아올까 생각해본다.

넌 참 착하다. 어쩜 이리 착할까?

낯선 곳에 가도

힘든 일이 있어도

아이들을 만나도

작은 강아지를 만나도

작은 동물들을 만나도

언제나 친절하고 기분 좋게 대해 준다.

그런 널 생각하면 눈물이 난다.

인생이 이 길과 같다면 길을 따라 걷기만 하면 될텐데

우린 때론 인생의 길을 찾은 것 같다가도

잊어버리기도 하고 헤매기도 한다.

낯선 곳에선 먼가 좋은 일이 일어날 것만 같아 복권을 잔뜩
사서 긁었다. 아쉬운 마음에 고개를 드니 내 앞의 풍경이
당첨된 복권이었다.

내 마음이 어디에 머무느냐에 따라 기준을 어떤 것에 두느냐에
따라 나를 고통스럽게도 하고 행복하게도 하는 것 같다.
내 마음은 지금 여기에 있는가?
나를 행복하게 하는 것도
나를 불행하게 하는 것도
나에게서 온다.

난 무엇에 내 마음을 투사하고 반영할까?
가끔 사람의 마음이 강아지의 마음이 보일 때
그 마음이 무엇을 말하는지 알 때 이상하게
나에게 화가 날 때가 있다.
다 해 주지 못 해서 다 해 줄 수가 없어서

난 항상 자기 전에 야생 동물들을

상상하며 잠드는데 이런 풍경은 야생 동물을

생생하게 상상하는데 소중한 자원이 된다.

호랑이, 사자, 곰, 늑대, 하이에나, 뱀, 멧돼지

새, 고래, 상상속 동물 용까지 상상하다 보면

어느새 잠이 든다.

10년 정도된 아주 이상한 습관이다.

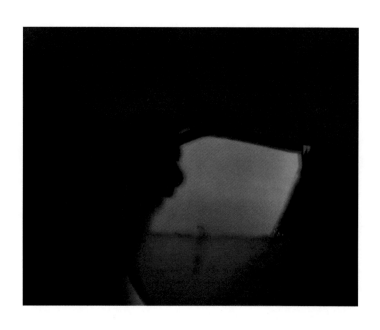

바람이 많이 부는 밤이다.

다행히 일찍 텐트를 치고 자리에 누웠다.

칸은 흔들리는 텐트가 많이 걱정스러웠는지

쉽게 쉬지 못 하고 일어나 밖을 바라본다.

나는 그런 칸을 바라본다.

괜찮아, 우리가 곁에 있잖아.

어떤 책에서 이런 글을 본 적이 있다.
걱정 근심에서 빠져 나올 수 없다면 벽에 붙어 있는
파리가 되어 나를 바라보는 상상을 해 보라고.
그럼 하고 있던 걱정이 아무것도 아니게 된다고.

산에 올라가던 파리가 되어 보는 상상을 하던
내 생각에서 벗어나 나를 바라보는 능력은 필요하다.

니가 뭘 보는지 궁금해서 눈높이를 맞췄는데

내가 널 보니 나를 보는거야?

아님 원래부터 나를 보고 있었던거야?

힘차게 올라가는거야!

너희들은 일평생
온 몸 다해 온 마음 다해
사람들을 위해 일한다.
그런 너희들을 위해 마음을 다해 **쓰담쓰담**

이제 칸이도 익숙해졌다.
아침에 일어나면 난 사진을 찍고
칸이는 사진에 찍히고
수지는 칸이가 나갈 때까지 자고 있다.
남들이 우리들의 존재를 알기 전에 일어나
이 곳에서 사라져야 한다.
그래서 우린 아침이 항상 분주하다.

낯선 이의 방문에 고양이는 두렵기만 하다.

칸이는 너희에게도 친절하니 걱정마.

삶은 치열하다.

아무 것도 일어나지 않는 지금 이 순간에도

누군가는 사력을 다해 하루를 살아내고 있는 것이다.

그걸 잊는 순간 뒤처지고 낙오하고 만다.

보이지는 않지만 나를 나태하게 만드는

것들을 항상 경계하자.

왜 시골에서 키우는 개들이 마루 밑으로 들어가
지내는지 알겠다. 더위를 피할 곳이 그 곳밖에
없어 자연스레 들어가게 된 것이다.
너희들도 달리 피할 곳이 없어 너무 자연스럽게
마루밑에 들어가 더위를 피하는구나.

해가 뉘엿뉘엿 저물 때의 칸의 표정

나무가 모이면 숲이 된다.

숲속을 걸으면 나무가 보인다.

숲속을 나오면 숲이 보인다.

숲만 보려 하지 말고

나무만 보려 하지 말고

숲을 보는 통찰

나무를 보는 지혜를 길러야겠다.

숲에서 잠을 청하고 일어나 조용한 숲속을 걸었다.
나무 사이로 들어오는 햇살이 좋았고
고요한 소리가 내 마음을 더욱 차분하게 해 줬다.
풀벌레 소리, 새소리, 바람소리 모든 것들이
자기만의 소리를 내고 있었다.
나는 더욱 조용히 그들의 소리를 들으려 집중했다.

숲길과 바다가 만나는 곳 전국일주를 돌며
간 곳 중 세 손가락 안에 들었던 곳.
관광객들이 많지 않았고 꾸민 듯 안 꾸민 듯한
나만 알고 싶었던 곳 중에 하나.

잊지 말아야 할 것 ; 함께 있을 때의 소중함

여유라는 말이 자연스레 떠오르게 하는 인테리어.

곡선이 주는 안정감과 편안함.

나도 균형있게 여유롭고 싶다.

앉아도 되고 바라봐도 되는 저 사진속의 무엇처럼.

내가 부르면 뭐가 그리도 좋은지..

꼬리 흔들며 웃으며 쫄랑쫄랑 나에게 온다.

사이좋은 너희들

함께 있으면 편안하다. 쳐다보면 웃음나고

아무말 없어도 어색하지 않은 사이.

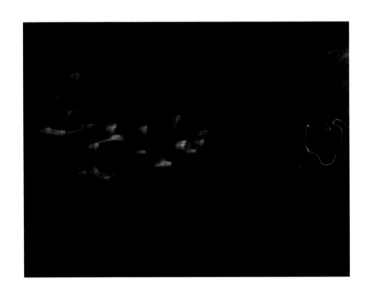

무슨 말을 쓰고 싶었던걸까?
캠핑장에 놀러 온 옆 텐트 가족들과
한잔 걸치고
헤어진 후 허공에 빛으로 썼던 글자.

그냥 누워 하늘을 보고 있으니

아무런 걱정도 없다.

**여기 나** 존재하는 것만 느껴지는 **시간**이다.

점심은 캠핑장 아주머니께서 상을 차려

전화하신다. 밥 가지러 오라고.

그럼 나는 가서 상을 들고 나무 밑

적당한 곳에 자리를 잡고 앉아 밥을 먹는다.

특별한 반찬은 없지만 **꿀맛**이었던 밥.

새로운 곳에 가면 자연스레 새로운 것들을
찾게 된다. 나도 무언가 새로운 것을 찾기
위해 여행이라는 것을 택했다.
일상에서도 새롭게 보기 위한 마음을
가져야겠다. 여행에서처럼.

　괜찮아, 우리가 곁에 있잖아.

저리도 뛰어 노는 게 좋을까?

마음껏 뛰자.

마음껏 놀자.

폐교된 학교.

전에 아이들이 다녔던 풍경은 어떠했을까?

수많은 아이들의 흔적이 느껴지는 문턱이다.

나도 나이듬에 두려워하지 말아야 한다. 상처가

생기더라도 쓸쓸한 것보단 그 편이 나은 것 같다.

일을 미루지 않는다. 그 때 그 때 한다.

먹을 것은 딱 한 끼 먹을 것만 산다.

자기전 하루를 돌아보고 내일 일을 계획한다.

과거를 반추하고 미래를 걱정하지 않고

지금 현재에 충실하려 노력한다.

이게 여행하며 얻은 **지혜**이고 **습관**이다.

아무리 아름답고 유명한 길이라도 내가 그냥 지나치면

그만이고 내가 자세히 눈길을 주어야 비로소

아름다움이 빛난다. 고향이 이 곳이라 어릴 땐 자주

지나쳤었지만 여행길에 와 보니 다르게 보게 되네.

수지도 새로운 장소에서 본 일몰은 아름다웠나보다. 뜨는 해도 지는 해도 보는 장소가 항상 달랐지. 지금 보니 우리가 바라본 해와 달은 같은 것이었는데.. 삶을 간절하게 만나자. 내가 배운 것처럼.


## 처음 보듯이 두 번 다시 못 볼 듯이

저녁엔 낯설었고 새벽엔 설레였다.

유기묘로 지내다 동물병원에 살고 있는
냥이. 너도 참 삶의 이야기가 많겠다.
너의 이야기도 들어 보고 싶다. 넌 무얼
그리워하고 무얼 하며 살았는지 말이야.

멀리서 찾을 필요없지. 내 앞에 있는

니가 바로 성자야. 항상 인내하고 모든 걸

받아들이고 기다리고 만족하고 내면과 겉모

습이 같은 아이.

조용하고 한적한 해변.

하늘이 바다가 땅이 서로 대화하는데

내가 불쑥 찾아온 느낌이다.

전에는 인생이 물음표

나에게 왜? 내가 왜? 어째서?

지금은 인생이 쉼표

그럴 수도 있었겠다, 그래도 다행이다,

오늘의 날씨 **맑음**


너희들의 표정 **해맑음**

의도치않게 몽룡이가 된 칸이와

춘향이가 된 수지.

괜찮아, 우리가 곁에 있잖아.

　숲속에 있으면 아무것도 안 해도 조급함이 없다. 도시에선 무언가를 하고 있어도 조급해지고 할 일을 해도 해도 끝이 없고 시간이 부족한 느낌이었는데 숲속에 있으면 잘 먹고 잘 자면 하루를 잘 산 거 같아 만족한다.

　사실 인생이란 특별한 거 같지만 그리 특별하지도 않다.

숲속의 밤이 찾아왔다.

사람들이 떠나고 우리만 남은 숲의 밤은 조용하고 고요하다. 이런 조용함과 고요함은 동물들과 자연의 소리를 귀담아 들을 수 있는 시간이다.

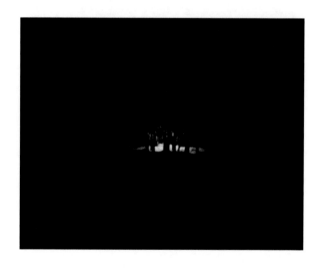

숲에서 며칠을 지내다 와서일까? 오랜만에 보는 도시의 노을과 지하철을 보니 너무 쓸쓸한 느낌이 들었다. 하루를 정신없이 보내다 퇴근하는 사람들의 마음이 느껴져서였을까?

기분좋은 햇살이다. 이런 날은 벤치에 앉아
책을 읽는다. 칸과 수지는 편한 곳을 찾아
낮잠을 잔다. 지금을 온전히 머무르는 순간이
라 느껴진다.

장거리 여행을 가 본다. 저녁에 출발했는데
새벽에나 도착할 듯 싶다. 가는 길에 비가
내려 잠시 쉬며 생각을 해 본다.


' 나 잘 살고 있는거지? '

내리는 비를 바라본다. 비가 오는 거로 봐
서는 더 내리진 않고 얼마 지나지 않아 그칠
비다.

이상하리만치 그 생각이 희망적이라고
느껴졌다.

이 때부터였던 거 같다.

사진을 조금씩 컬러로 찍기 시작한게..

내 마음에 색이 칠해지는 순간.

비가 여행이 하늘이 나에게 하는 속삭임.

" 다 잘 될 거야"

나에겐 웅장한 구조물들

하늘에겐 그저 조그만 바람개비들

새로운 장소에서 밤을 맞이한다.

주변에 낯설지만 그렇다고 마냥 낯설기만 하지
는 않은 텐트들이 나에게 위안을 준다.


저마다 각자의 내일을 기대하며 잠을 청한다.

칸이는 항상 수지에게 장난을 친다. 몸을 낮춰 귀를 살짝 물기도 하고 한번 툭 치고 나 잡아보라는 식으로 달아나 보기도 하지만 수지는 요지부동이다. 그런 수지를 칸은 이해하고 수지도 그런 칸을 이해한다.

**그렇게 서로 맞추며 살아간다.**

바다에 오면 하늘과 땅과 바다와 사람들의 모
습들을 구경하는 재미가 있다. 나도 수지도 칸도
수영을 좋아하는 것도 아니고 왁자지껄 노는 것
을 좋아하는 것도 아니다. 눈길 가는 곳에 마음
두고 머무르는 것을 좋아한다.

우리 사이 무슨 사이? 사이 좋은 사이

칸과 수지를 보며 사이 좋다라는 말을 정의
해보면 함께 있으면 편하고 몸과 마음을 기
댈 수 있고 서로 의지하고 믿고 따르는 사이
라고 할 수 있겠다.

'이 아이들 또한 사이 좋은 사이'

괜찮아, 우리가 곁에 있잖아.

　하회 마을에 강아지들이 들어갈 수는 있다고 하나 입구에서 마을까지 가는 버스는 타지 못한다고 했다. 지나가는 버스를 바라보기만 할 수밖에 없는 이 야속한 현실. 마을로 가기 위해 30분 정도를 칸과 수지와 털레털레 걸었던 거 같다.

목적지에 도착하는 순간 본격적인 더위가 시작
된 듯하다. 언제나 목적지가 끝이 아니었다. 목
적을 달성하고 나면 또 다른 시작이 기다리고
있다는 것. 그게 고통이 될지 행복이 될지는 마
음 먹기 달린 것이다.

　걸으며 본 풍경이 아름답다. 낯선 곳을 여행하
다 보면 보이는 것, 들리는 것, 맛보는 것들을
소중히 간직하고 싶은 마음이 든다. 여행이란 기
존에 가지고 있던 나의 신념들을 놓아 버리고
새로운 것들을 받아들이는 시간이다.

앞으로 살아갈 날들에

'**희망**'이라는 말을 품고 살기로 했다.

아무것도 가진 것이 없기에 막연한 기대는
현재 느끼는 불안을 조금이나마 가라앉게
해 준다.

"어머 밖에 강아지 좀 봐"

"어머 안에 고양이 좀 봐"

낯선 곳에서 느끼는 비는 많은 감정을 가져다
주는 선물같은 존재다.

쓸쓸함, 외로움, 처량함, 그리움, 포근함 등의
감정들.

지금은 자기 전 꼭 핸드폰으로 빗소리를 틀어 놓
고 잠을 청한다. 이런 감정들을 떠올리면 마음이 편
안해지며 스르르 잠이 든다.

어느 한 카페에서 만난 이름 모를 친구야.
우리 칸이에게 이렇게 신나는 추억을
선물해줘서 고마워.

낮이 눈을 감으면

밤이 눈을 뜬다.

괜찮아, 우리가 곁에 있잖아.

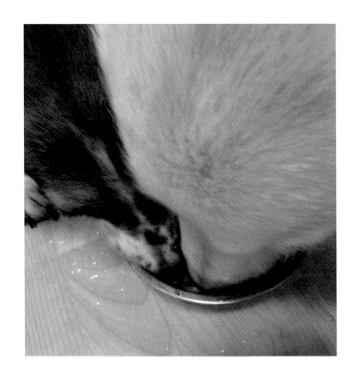

서로에게 힘과 위로가 되어주는 사이
이래도 좋고 저래도 좋은 사이
너라면 다 이해해주는 사이

전엔 가끔 예전이 그리울 때가 있었다.

친구들이 그립고 사람들의 마음 씀씀이가 그립고

나의 열정이 그립고 거리의 풍경이 그립고 학창

시절이 그립고 ...

그러나 지금은 아니다.

지금은 자주 예전이 그립다.

　배를 타고 섬에 왔다. 차를 타고 묵을 장소를 찾아 돌아다니다 한적한 곳을 발견하고 짐을 다 옮기고 나니 비가 내린다. 그냥 멍하니 내리는 비를 바라본다. 마치 시간이 멈춘 것 같다.

나 잡아봐라 ~

바다는 안 뛰던 수지도 뛰게 만든다.

괜찮아, 우리가 곁에 있잖아.

화려한 다른 사람의 삶을 몰래 엿보는
컨셉으로 찍은 사진.

알록달록 다채로운 색깔보다는 은은하고
편안한 색깔이 나는 좋다.

여기를 보세요.

찰칵!

# 2. 가을 스케치

가을이 되면서 많은 것들이 변했다. 들에 피는 꽃들의
종류도 달라지고 잠잘 때 밤의 온도도 달라졌다.

이런 변화들이 나에게 훨씬 크게 다가왔다. 산책할 때
좀 더 편안하게 산책을 할 수가 있었고 잠잘 때 힘들
게 텐트를 치지 않아도 차에서 창문을 열고 편안하게 잠
잘 수가 있었다. 이런 변화 자체만으로도 나에겐 행복이
었다.

처한 환경과 상황에 따라 그 때 그 때 생각과 감정이
다르다. 비행기를 타고 있는 사람과 날고 있는 비행기를
보는 나의 마음은 다를 것이다. 환경과 상황을 한 순간
바꿀 수는 없지만 생각과 감정을 변화시킬 수 있는 힘은
나에게 있다.

그저 좋다.


너와 함께 하는 이 순간이..

구름 이불을 덮고
따뜻한 바위 침대에
누워 꿀잠을 자는
이 곳이 천국.

괜찮아, 우리가 곁에 있잖아.

땅도, 하늘도, 이 세상도 무엇 하나 똑같은 것이 없다.

나 또한 어제의 내가 다르고

오늘의 내가 다르다.

매 순간 우리는 다른 삶을 살고 있다.

그렇게 세상을 바라보면 지겨울 수가 없다.

기대길 좋아하는 칸이

그런 칸일 좋아하는 수지

괜찮아, 우리가 곁에 있잖아.

고마워 기다려줘서.

너희들의 멋진 모습을 담고 싶었어.

칸이는 모든 생명에게 친절하다.

내가 본 바로는 그렇다.

말, 길고양이, 아이들, 할아버지, 할머니, 휠체
어 탄 사람, 강아지, 심지어는 개미에게까지도..

괜찮아, 우리가 곁에 있잖아.

낙엽, 의자, 공중전화부스, 하늘, 나무
이 모든 게 완벽하다.
추억에 잠기기 좋은 순간이었다.

나만 초대받은

그림자 전시회

도대체 진짜 인생은 어디 있는거지?

무얼 해야 진짜 인생을 만날 수 있는걸까?

분명 엄청 멋진 인생이 기다리고 있을 거야.

소금인형이 내가 곧 바다라는 걸 모르고 바다를 찾아 헤매는 것처럼 나도 내 인생을 찾고 다녔다.

그러다 번쩍 정신이 들었다.

'그럼 지금 살고 있는 인생은 뭔데?'

너가 나에게 보여준 건 아무 조건없는 사랑

괜찮아, 우리가 곁에 있잖아.

  순수한 눈빛, 해맑은 표정, 앙증맞은 다리, 살
랑이는 꼬리, 가벼운 발걸음, 펄럭이는 귀, 보드
라운 털, 통통한 뱃살, 씰룩이는 코
  내 사랑 수지

돈만 많이 벌면

성공만 하면

이 자격증만 따면

저 학교에 졸업만 하면

이런 수식어 다 떼어 버리고

지금 이 순간을 살자

계절이 바뀌니 느껴지는 모든 것들이 바뀌었다.

수지가 좋아하는 코스모스도 피고

잠자리도 편해졌고 무언가 풍성해졌다.

계절의 변화를 온 몸으로 느낄 수 있는 게

여행의 묘미 아닐까?

앙상한 나무들에게 찾아와

친구가 되어 주는 멋진 칸

산이 너무 멋지게 생겨 그 앞에서 하루를 보냈다.
밤에 본 산은 낮에 본 멋진 모습과는 거리가 멀었다.
음산한 바람 소리, 상상을 자극하는 칠흑같은 어두움.
평소보다 더 칸과 수지는 나를 위로하듯 옆에
꼭 붙어서 잠을 잤다.

환경은 나의 마음을 움직이게 한다.

돼지의 삶을 생각하면 섬뜩한 컨셉의 식당


돼지들의 달리기 시합을 본다.

미끄럼틀을 타고 내려오는 돼지들을 쓰다듬고

이뻐해준다.

돼지들과 사진을 찍는다.

사람들은 식당으로 이동해 돼지고기 돈까스를

먹고 돼지고기 햄 피자를 만들어 먹는다.

사랑스럽게 담긴 너희 둘

칸이가 신나서 뛸 때는
수지는 황급히 자리를 이동한다.
싫어하는 내색없이 신나하는 칸이를 이해한다.
모든 것을 맞출 수는 없다.
다르면 다른 것을 이해하고 맞춰 가는 것이
서로 살아가는 방법이라는 것을 칸과 수지에게서
배운다.

자작나무 숲길을 걸어보려고 먼 길을 달려 왔는데
너무 늦게 도착하는 바람에 입산 금지.

아쉽게 숲길을 걸어보진 못 했지만
숲길에서 내려 오는 사람들의 표정에서 자작나무가
우리에게 주는 느낌을 느낄 수 있었다.

그 때의 아쉬움과 설레임이 있어서인지 난 자작나무가
은은하게 좋다.

사람의 뒤를 따라가는 강아지의 모습은 당당하다.

고정된 시선

힘찬 걸음걸이

위로 한껏 말아 올라간 꼬리


함께 하면 어려움이 찾아와도

이겨낼 수 있다는 믿음이 있기 때문이 아닐까?


괜찮아, 우리가 곁에 있잖아.

장화를 신고
바구니를 들고
모래밭에서
놀았을 아이들을 생각하니
입가에 미소가 번진다.

공원에서, 길가에서, 차안에서
시간을 내서 책을 읽는다.


칸과 수지는 내 곁에 머물면서 시간을 내서
나를 바라본다.

우리 삶에서 필요한 것은 그리 많지 않다.
욕심을 내려놓고 현재에 만족하고 살면
행복은 그리 멀리 있지 않다.

무언가를 더하는 습관을 들이기보다는
무언가를 **빼는 연습**을 해야겠다.

"저기 서 봐 사진 이쁘게 찍어줄게"

사진이 어떻게 나왔을지 궁금해지는 사진

괜찮아, 우리가 곁에 있잖아.

사료를 살 돈도 밥을 사 먹을 돈도 없다.
나에게 있는 건 오직 이 소세지 하나뿐

이틀을 버텨야 했다. 세조각으로 나누어 각각 한조각씩
나누어 먹고 버텼다.

나를 많이 원망했을까? 왜 밥을 안 주지?
그 시간이 참 길고 힘들었을거야.
미안하고 고마워.

나의 옷장 : 미니멀 라이프 스타일

괜찮아, 우리가 곁에 있잖아.

모든 걸 가졌어도 누리지 못 하는 삶

가진 게 없어도 모든 걸 누리고 사는 삶


여러분도 한번 선택해 보세요.

어떤 삶을 살고 싶으신가요?

불편하지 않게 킁킁 냄새만 맡고
눈인사만 하는 아이들

가을의 절정.

아이들과 함께 신나게 낙엽을 뿌리며

가을을 즐겼다.


칸이의 만족스런 표정과 그렇지 못 한 수지.

사진만으로도 서로의 성격이 너무 잘 드러난다.

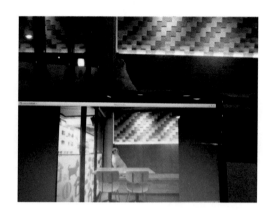

너의 최애 자리가 거기였구나.

예전에 찍었던 사진을 보고 있는데

아직도 넌 그 자리에 있네.

괜찮아, 우리가 곁에 있잖아.

늦가을에 내리는 가을비.
여행의 끝자락인 겨울이 왔음을 알리는
이제 모든 것이 바뀌는 겨울이 오고 있으니
준비하라고 알리는 가을비다.

# 4. 겨울 스케치

## 겨울 레시피

바람 한 스푼

차가운 공기 한 스푼

하얀 눈 두 스푼

쓸쓸함 한 스푼

괜찮아, 우리가 곁에 있잖아.

추위를 핑계 삼아 고향집에 자주 방문.

칸이 수지 목욕도 시키고

묵혀 놓은 빨래도 해야 하고..


어머니께서는 내가 강아지들하고 주말마다

와서 왜 그리 혼자 분주했는지 그 때는 모르셨다.

정확한 이유는 모르셨지만 자세히 묻지 않으셨고

그냥 다 이해해주시고 도와주셨다.

너희들은 항상 같은 곳을 바라보고 있었구나.

그 때도 지금도 앞으로도

　괜찮아, 우리가 곁에 있잖아.

칸아 무슨 생각해?

"니 생각"

밤하늘의 별이 이렇게 많은지
밤하늘의 별이 이렇게 이쁜지
눈으로 보고 나서 알았습니다.

인생이 너무나 힘들고 잘 안 풀리는
문제로 보일지라도
조금만 참고 견디다 보면 알게 됩니다.
인생은 경험해봐야 하는 신비라는 것을요.

겨울이 되니 사람들 옷이 두꺼워졌습니다.
색깔도 변했습니다. 그림자 또한 무거워지고
길어졌습니다. 발걸음도 무거워 보이네요.

**어느 계절의 색을 좋아하세요?**

이렇게도 간절히 뜨는 해를 기다린 적이 있었는지
아마도 내 인생의 처음이지 않았나 싶다.
추워봤자 얼마나 춥겠어?라고 안일하게 생각하며
강원도 해변 차안에서 보낸 겨울밤.

추위에 떨며 악몽을 꾼건지 잠을 잔건지 정확한
기억은 없지만 기억나는건 따뜻했던 햇살의 온도이다.
온몸을 따뜻하게 감싸주며 나에게 많이 추웠지?라고
말을 걸어주었을 때 나는 정말 작디 작은 인간에 불과
하단 걸 느꼈다.

자연의 아름다움을 그대로 지키며
순응하며 살아가는 선조들의 지혜

저렇게 방안에 인형으로 가득 채워져 있다면?
리트리버를 키우는 사람들이라면 다 비슷한
상상을 하지 않을까?

칸이 달려들어 안에 있는 솜들을 빼고 팔 다리를
뜯어 놓을 것이 분명하다.

앙증맞고 포근하고 안락한 느낌은 간접적인
체험으로 족하다.

상상은 현실이 된다.

지금 내 삶도 내 일도 모든 것들이

내가 상상했던 것에서부터 시작되었다.

우리는 별똥별을 보며

새해를 맞이하며

연을 날리며

다양한 상황에서 소원을 빈다.


나의 소원은 지금처럼 칸과 수지와 행복하게

살 수 있게 해 주세요였다.

여행의 끝자락일 때 나의 그림자를 많이 찍었다.
내가 어디로 가야 되는지 어떻게 살아야 하는지
고민하는 생각들이 그림자를 찍는 사진으로
투영된 것으로 보인다.

그 때 고민한 삶이 지금의 삶인데 나는 잘 살고
있는 것인가?

새벽 공기와 아침 햇살로 인해 칸이의 볼살도
차갑게 느껴졌다.
늦잠 자는 수지를 뒤로 하고 칸이와 함께 하는
이른 산책길.

언제나 어디를 가도 누구를 만나도
신나게 길을 나서는 모습을
보면 항상 함께 다니고 싶다.

괜찮아, 우리가 곁에 있잖아.

## 기나긴 기다림 그리고 기대감

인생에서 기대를 한 후에 만족을 했던 적은 많지
않았던 듯 싶다. 기대후에 실망감을 느꼈던
적이 더 많았던 거 같다.
기대라는 감정만 잘 내려놔도 인생의 행복을
느끼는 순간들이 많을 것이다.

어느 장소에 가면 정해진 레퍼토리가 있는 듯 하다.

예를 들어 여수에 가면

여수 밤바다를 보고 케이블카를 타듯이

한번도 해 본적이 없어서 레퍼토리대로 해 봤는데

나쁘진 않았다.

제목 : **양들의 침묵**

겨울의 동물원은 조용하고 차분하다.
이 추운 겨울이 지나가기만을 조용히 그리고
차분히 기다리고 있는 동물들이 있을 뿐이다.

내 눈에 보이는 풍경이 너무나 이뻤다.
그래서 사진으로 담았는데 보이는 그대로 나와
너무 마음에 드는 사진.

요즘 시대는 내 눈 앞에 보이는 것이
진짜인지 가짜인지 혼란스러운 시대에 살고 있다.

사람 인기척을 느끼고 황급히 자리를 피하는 길고양이
추운 겨울 차밑에서 아파트 지하에서 추위를 피하는
고양이를 보면 안쓰럽고 미안하다.

**고양이로 태어난 것뿐인데..**

길을 따라 걷다 보면 언젠가는 나무에 잎이 피겠지.

함께 걷는 사람들도 있을거야.

지금 힘들다고 계속 힘들지는 않아.

## 그러니 계속 걸어봐.

　괜찮아, 우리가 곁에 있잖아.

걷다보면 이렇게 의자도 나와.

그럼 그냥 의자에 앉아 잠시 쉬면 돼.

왜 쉬냐고 뭐라고 하지 않아.

남 눈치 볼 필요없어.

내가 쉬고 싶으면

## 지금은 잠시 그럴 때인거야.

그렇게도 사람이 좋을까?

오늘 처음 봤는데도 쪼르르 내 앞으로 달려와

손을 핥아주고 만져달라고 머리를 들이밀고

애교 부리는 녀석들.

힘들게 진도까지 온 보람이 있네.

괜찮아, 우리가 곁에 있잖아.

길에서 만나는 강아지에게는
눈길이 한번 더 가게 된다.


나는 이 곳이 처음이라
어디로 가야 할지 막막한데
너는 아주 익숙한 길인가봐

칸아하고 부르면 아무 생각없이 곧장 내 앞으로 온다.

칸에게 손을 뻗어도 나에게 쪼르르 달려온다.

볼살은 쭉쭉 늘어나고 앞발을 살포시 잘 준다.

먹을 것을 들고 있으면 앉아서 줄 때까지

빤히 쳐다본다.

먹으라고 하면 내 손을 물까

살살 입으로 가져가 먹는다.

한마디로 모든 게 따뜻해.

칸이의 단짝 친구 수지

애절한 눈빛, 부드러운 입가의 미소

배뽈록이, 사랑스러운 꼬리

내가 지금 무엇을 해야 좋은 일이

일어나는지 너무나도 잘 알고

조금이라도 목소리톤이 바뀌면

나를 부드럽게 대해줘라며 몸짓으로 알려주는

꽃, 나비, 바람, 햇살 자연을 너무 사랑하는

평화주의자

눈이 한창 내리는 어느날
지나가는 길에 아이들이 눈을 가지고
놀고 있다. 그런 아이들과 금새 친구가 되어
놀고 있는 칸이.
그런 칸이를 보고만 있어도
마음의 평화가 찾아온다.

나를 항상 응원의 눈빛으로 바라보던 니가 없었다면
나는 지금의 일도 내 삶도 포기했을지도 모르겠다.
우리 꼭 다시 만나자. 너무 보고 싶다.


**미안해 고마워 그리고 사랑해.**

# 그리고 봄

 칸과 수지가 없었다면 지금 하고 있는 일을, 6개월간의 여행을 끝까지 마칠 수 있었을까?

 아무데나 텐트를 치고 자고 처음 가본 장소에서 새로운 사람들을 만날 때마다 무서운 마음, 두려운 마음이 들었었다.

 또 화창한 날 신나게 돌아다니다가 어김없이 어둠이 찾아와 울적할 때, 하루 종일 비가 내려 복잡하고 짜증날 땐 아무 일도 아니라며 괜찮다고 텐트안에서 차안에서 나를 바라봐 주고 위로해 주고 잘할 수 있을 거라고 힘이 되어 주었다.

 우리는 정말이지 6개월을 24시간을 함께 했다. 억수같이 폭우가 쏟아지는 여름날 하루 종일 빗소리를 맞으며 텐트안에서 누워 있기도 하고 에어컨 아니 선풍기조차 없어 더위에 지쳐 잠들기도 하고 강원도 밤바다 앞 얼음

장같이 차가워진 차안에서 서로 껴안고 추위를 견디며 자 보기도 했다. 소나무길을 산책하거나 수많은 모래사장을 뛰어 다녔고 땅끝 마을에서 첫 해를 보기도 하고 눈덮힌 길 위에서 신나게 눈을 던지며 놀았던 기억도 생생하다.

신나게 뛰어 놀며 킁킁거리며 냄새를 맡고 돌아 다니다가 이름을 부르면 누가 먼저랄 것없이 꼬리치며 둘은 내 품에 안긴다.

그러면서 나에게 이렇게 말하는 것 같다.


"괜찮아 우린 항상 같이 있잖아 잘 될꺼야"

# 아직 끝나지 않은 여행

이 글을 마치는데 너무나 오래 걸린 것 같네요.

칸과 수지와 함께 여행을 갔다 온지는 10년전이고 첫 장을 쓰기 시작했을 때도 10년전인데 이제야 마침표를 찍게 되었네요. 지금 제 곁에 수지는 없습니다. 작년에 무지개 다리를 건너 그 곳에서 저와 칸이를 응원해 주고 있을거예요. 삶이 힘들고 지칠 때마다 사랑스런 눈빛으로 나를 응원해주었던 순간을 생각하면 힘이 납니다. (수지가 떠나고 한동안 많이 힘들었는데 다행히 아시는 분의 소개로 좋으신 선생님을 만나 펫로스 증후군 치료를 받고 수지가 떠났음이 새로운 의미로 남았습니다.)

칸이도 나이가 들어 이곳 저곳 많이 아프고 건강 상태가 예전같지는 않네요.

수지가 떠나기 전 수지에게 두가지 약속을 했습니다.

첫 번째는 칸이를 잘 돌봐주겠다이고

두 번째는 지금까지 하고 있던 일 포기하지 않고 계속하면서 사람들의 마음을 치유해주겠다입니다. 제가 이 책을 쓴 이유도 두 번째 약속에 부합해 조금이라도 힘든 삶을 살고 있는 사람이 있다면 이 책을 통해 힘이 되었으면 하는 마음에서 쓰게 되었습니다.

여행을 떠나기로 마음 먹었을 땐 삶이 너무나 힘들어서 여행이라도 하지 않으면 안 되었을 때였습니다.

여행을 마치고 나면 무언가 인생이 바뀔 것 같았지만 크게 바뀌는 건 없었습니다. 그러나 여행을 다녀온 후 여행에서 배운 것과 경험, 여러 생각들이 제 삶에 영향을 끼쳐 전보다 조금 신중하고 계획적이고 차분하게 바꾸어 주었습니다. 이런 변화들이 쌓여 힘든 시기가 또 찾아왔을 때 묵묵히 이겨낼 수 있었고 조금 더 공부를 해 그때보다는 다양한 곳에서 다양한 일들을 할 수 있게 되었습니다.

인생을 살며 어찌 편안하고 행복한 날만 있겠습니까?
어렵고 힘든 날도 인생이고 그걸 어떻게 극복하는가가
정말 중요합니다.

여러분의 인생이라는 여행길을 응원합니다.
내 곁에 있는 반려동물이 큰 힘이 될 것입니다.
제가 그랬던 것처럼요.